言い換えで、人生が変わる。

中谷彰宏

青春出版社

言いかえると、
気分が変わる。
言葉をかえると、
自分が生まれ変わる。

中谷彰宏

あきひろ

この本は、３人のために書きました。

1

そんなつもりで言ってないのに「冷たい」と言われた人。

2

いい言い方のお手本が、まわりに見つからない人。

3

大切な人の言い方を変えてあげたい人。

まえがき

言い換えることで、自分が変わる。

「自分を変えたい」と言います。
自分を変えるには、自分が使っている言葉を変えることです。
言葉を言い換えることで、
自分の意識が変わります。
言葉を変えるとは、
自分を変えるということなのです。

もくじ

本文デザイン・DTP／リクリデザインワークス
編集協力／遠藤励起

言い換えで、
人生が変わる。

001

トラブルがあった時

「トラブルが、ありました」

「ハプニングが、ありました」

トラブルは、良くないことです。
ハプニングは、良くないことも、良いことも含んでいます。
起こったのは、想定外なことが起こっただけです。
良いことになる可能性のあるハプニングということで、
乗り越えられます。

クレームがあった時

002

「クレームをいただきました」

「お困りのお客様がいました」

クレームのお客様は、怒っている人ではありません。
困っている人です。
大事なのは、怒りをしずめてもらうことではなく、
困っていることを解決することです。

003

部下への説明が通じていない時

「わかった?」

「どんな感じ?」

「わかった?」と言うと、
ミスして説教されているような気持ちになります。
大切なのは「できそうな感じ」「わかりそうな感じ」
という「感じ」の共有です。

ネクタイをほめる時

004

「素敵なネクタイですね」

「ネクタイの結び方が好きです」

ほめどころが見つからないとネクタイに逃げがちです。
「素敵なネクタイですね」は、本人をほめていません。
「ネクタイの結び方が好きです」と言うのは、
その人のセンスをほめています。

ペンをほめる時

「いいペンですね」

「ペンの置き方に品がありますね」

お金を出せば買えることは、ほめることになりません。
ペンを机に置く時に、
バタッと音が鳴る人と鳴らない人に分かれます。
モノではなく、モノの扱い方をほめることが大切です。

005

006

電話を取る時

「はい、〇〇です」

「はい、〇〇でございます」

丁寧な言い方をすることは、
相手のためだけではありません。
丁寧な言い方で言い始めると、
その後も丁寧になって、
自分の自己肯定感が上がっていきます。

007

苦情をもらった時

「苦情をいただきました」

「貴重なアドバイスをいただきました」

苦情は、文句ではありません。
お客様からの、貴重なアドバイスです。
苦情と思うと、はねつけたくなります。
貴重なアドバイスと受け取ると
活かしたくなるのです。

008

叱られた時

「説教されました」

「アドバイスをいただきました」

説教と、アドバイスの境目はありません。
受け取る側が、いやがっているか、
喜んでいるかの分かれ目です。
説教とアドバイスを分けるのは、
言われた側の自分自身なのです。

009

「イラッとします」

「切なくなります」

実際は、イラッとしたのではありません。
切なくなっているのです。
「イラッとしている」と言ってしまうと、
それまでしていなくても、イラッとしたくなってくるのです。

出会った日に

010

「お会いできて、ラッキーでした」

「お会いできて、運命の日になりました」

「ラッキー」より、「運命の日」のほうが、よりうれしい。
相手もうれしいし、自分もうれしい。
「ラッキー」くらいでは、チャンスを逃しそう。
「運命の日」と言うことで、チャンスをつかめます。

011

「ご活用ください」

「ご利用ください」

「ご活用」では、上から目線になります。
「ご利用」で、謙虚な姿勢を示します。
相手に使う時は、「活用させていただきました」です。
利用されるより、活用されるほうが、うれしいです。

感想を伝える時

012

「背中を押されました」

「根底から覆されました」

「背中を押されました」だと、「前から気づいていた」という印象を与えてしまいます。

アドバイスする側は、相手が考えてもみなかった新しい見方を提示するほうが、うれしいのです。

選ぶ時

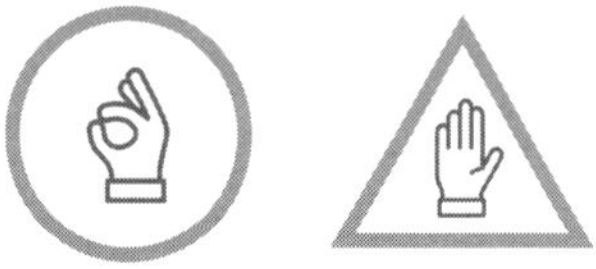

「○」＜「☆」

013

○だと、評価されてる感じです。
☆だと、ほめられてる感じです。
選ばれた人は、うれしい。
自分自身も、うれしい。

014

説明を聞いた時

「わかりました」
「わかりやすい」

「わかりました」は、自分の力です。
「わかりやすい」は、相手の力です。
「わかりました」は、相手の説明を止めます。
「わかりやすい」と言うことで、
相手はもっと説明したくなってくれます。

評価する時

「まだまだね」＜「これからだね」

015

「まだまだ」も、「これから」も、どちらも同じ状況です。
大事なのは、どちらを言われたほうが、
やる気がわいてくるかです。
相手のやる気がわく言葉に、言い換えるのです。

ダメなところを言う時

016

「穴だらけ」

「伸びしろだらけ」

「穴」と言われると、損な気がします。
「伸びしろ」と言われると、得な気がします。
言葉を選ぶ時は、相手が、得な気分になるほうを選ぶのです。

017

仲間が検定に合格したと聞いた時

✕「何級？」

○「勉強してたもの」

「何級？」と聞いて、もし「2級」と答えると、「なんだ、1級じゃないのか」となってしまいます。

勉強していない人に限って、レベルを聞きます。

大事なのは、何級であれ、勉強したことなのです。

不合格を出す時

018

「心を鬼にして」

「応援のつもりで」

「心を鬼にして」だと、敵になってしまいます。

「応援のつもりで」だと、味方になります。

敵の言葉を、味方の言葉に言い換えることで、言われた相手は、厳しいことも、感動するのです。

019

「した時のメリットは」＜「しなかった時のデメリットは」

メリットは、小さく感じます。
デメリットは、大きく感じます。
「したらどうなる」より、
「しなかったらどうなる」のほうが、見落としがちなのです。

スポーツ経験を聞く時

020

「運動は、何かされてるんですか」

「スポーツは、何をされてたんですか」

「運動は？」と聞くと、「していないでしょう」という
印象を相手に与えてしまいます。
「スポーツは何を？」と言うと、「ぜったいやっているに違いない」
という印象を与えます。

初めてのお店で別の人に勘違いされた時

「いや、初めてですよ」

「うれしい。覚えていてくれた」

大事なのは、正解かどうかではありません。
そう言ってくれた気持ちを受け取ることが大事です。
この時、「うれしい」という感情を先に伝えることが大事です。
相手も、わかっていて、言われることもあるのです。
会話は、「善意の共犯」です。

021

022

お客さんの話をする時

「お客さんが」

「お客様が」

「お客さんが」と言うと、敵対した発想になります。
「お客様が」と言うと、味方の発想になります。
言葉で、発想が変わります。
味方の発想になる言葉を、選ぶことです。

023

お客様に呼びかける時

「お客様、どうぞ」

「お兄さん、どうぞ」

「お客様、どうぞ」は丁寧だけど、よそよそしさもあります。
他人行儀な冷たさを感じます。
「お兄さん」「お姉さん」と言われて、悪い気分にはなりません。
花街でも、テーマパークでも、「お兄さん」「お姉さん」を使います。

024

進捗状況を聞く時

「進んでるかな」

「だいぶ、できたかな」

表参道ヒルズの建設現場にチェックに来た時の設計者・安藤忠雄さんの言葉です。緊張している現場のスタッフの緊張を和らげる安藤さんの優しさを感じます。

025

友達の洋服の買い物につきあう時

「いい服だよ」

「似合うよ」

モノより、人をほめることです。
「いい服」は、服をほめています。
「似合う」は、着る相手をほめています。
モノより、人を見る習慣に変わります。
言い換えとは、視点の変化です。

026

行ったことがあるお店に招待されて、初めてかどうか聞かれた時

△「前に、何度か」

○「初めてです」

連れて行ってくれた人は、初めてのお店に連れて行きたいのです。
「前に、何度か」と言われると、ガッカリしてしまいます。
初めてかどうかは、相手はわからないのです。
「初めてです」と言うことは、連れてきてもらった人への礼儀です。
化粧室の場所もたずねるくらいのサービス精神を持ちましょう。

027

急な雨が降ってきた時

「天気予報で、言ってましたからね」

「傘、お持ちですか」

大事なのは、天気ではなく、相手です。
天気予報は、情報です。
「言ってました」で、「見てなかったの?」と
相手を責めることになります。
傘がなくて困らないか、相手を気づかうことが大切です。

028

仲間が難しいチャレンジ企画をする時

「あの企画は、難しいよ」

「ぜひ、成功してほしいね」

キッザニアを立ち上げた住谷《すみたに》栄之資《えいのすけ》さんと、新しいレストランのオープニングパーティーに行った時のこと。「チャレンジングだね。こういうお店に成功してほしいね」と言った住谷さんに、優しさを感じました。

029

出てきた魚が柔らかくて、同行者が感動した時

△「この魚は、柔らかいからね」

○「こんなに柔らかいのは、初めて」

「この魚は、柔らかいからね」と同行者に言うと、
「そんなことも、知らないのか」という意味になります。
「柔らかくて、当たり前」と言われた板前さんからは、
愛されないお客さんになってしまいます。

030

「外がパリパリ」と同行者が言った時

「たしかに、パリパリだね」

「なのに、中がふわふわ」

会話は、ただオウム返しに言うと、
相手のコメントの効果が薄れます。
対《つい》になる言葉を足すことで、
相手のコメントがさらに引き立つのです。

031

焼き加減が良かった時

「焼き方が、上手」

「この焼き加減は、できないよ」

「上手」というのは、プロに対して、上から目線で失礼です。
自分でしている人は、「上手」とは言いません。
いつも、母親に作ってもらっている人が、言いがちな発言です。
自分でしている人は、「難しい」ということがわかっているからです。

032

優しくしてほしい時

「優しくして」

「優しいね」

「優しくして」というのは、「優しくない」と言っています。
そう言われると、「優しくしてるんだけど、
気づいてくれてないのか」と、もうしてもらえなくなります。
「優しいね」と言われると、
「もっと優しくしよう」という気になります。

別の会で再会した時

033

「この間の会で、お世話になりました」

「いつぞやは、お世話になりました」

「この間の会で」と言ってしまうと、その会に呼ばれなかった人が、
「なんで、呼んでもらってないの」となります。
つい、自慢したくなる発言なのです。
「いつぞやは」でぼやかすことで、相手の立場を守るのです。

034

いただきものをした時

「この間は、○○をありがとうございました」

「この間は、ありがとうございました」

プレゼントのお礼を言うと、もらっていない人がいた時、
贈った人の印象を下げてしまいます。
これも、自慢です。
相手を守ってぼかしていることが、
プレゼントのお返しになることに、相手は気づいてくれます。

035

贈り物をいただいたお礼メールをする時

△「お心づかいを、ありがとうございます」

○「とらやの一口羊羹、ありがとうございます」

お礼をする時は、銘柄で言うことです。

そうしないと、「おや、この人は、中を開けないで、誰かにまわしたな」と勘ぐられてしまいます。

「予約して、並んで買ったものなのに」という貴重さに、気づいていることが、銘柄を言うことで、伝わるのです。

助けてもらった時

036

「これで、大丈夫です」

「助かります」

「大丈夫」「平気」は、「悪くない」という意味です。
プラスマイナス・ゼロの言葉で、「うれしくも、うれしくなくもない」になります。

母親に甘えている子どもは、「大丈夫」「平気」を使います。
「助かります」と言えるのが、大人です。

言い換えとは、「子どもの言葉」を「大人の言葉」に変えることです。

037

「またお誘いしてもいいですか」と言われた時

「大丈夫です」

「大歓迎です」

「大丈夫です」は、「いやではないけれど」という印象を相手に与えます。

「大歓迎です」と言われると、また誘いたくなります。

残念な言い方をしている人は、「そんなつもりで言っていない」と言い訳をします。

「自分のどんなつもり」よりも、「相手をどんな気持ちにさせるか」が大事なのです。

038

部下が結果を出せなかった時

「なんで、できない」

「あなたなら、もっと、できる」

「なんで、できない」は、他者との比較です。
「もっと、できる」は、相手自身との比較です。
「なんで、できない」は、相手への非難です。
「もっと、できる」は、相手への期待です。

039

部下がイージーミスをした時

「こんな簡単なことを」

「私も、よくやるんです」

茶道の映画『日日是好日《にちにちこれこうじつ》』の中で、
主人公の黒木華さんがお茶会でミスをした時に、
師匠の樹木希林さんが言った言葉。
「ふふふ、私も、よくやるんですよ」と言うところに、
謙虚さと余裕を感じます。

040

レストランで早くしてほしい時

△「早くしてください」

◎「早くしていただいても、大丈夫です」

「早くしてください」と言うと、サービスをする側としては、

「あえて、ゆっくりしていただこうとしているのに」

と切ない気持ちになります。

お客さんで行く時のほうが、言葉選びは大事です。

041

メニュー選びで、同行者が迷っている時

「何で、迷ってる？」

「何と何で、迷ってる？」

「何で、迷ってる？」と言うと、
「何を迷ってるんだ」と怒られていると取られる可能性があります。
間違って受け取られる可能性を考えることが、
言い換えでは大事です。

042

コートレットを頼んだら、カツだった時

「なんだ、カツか」

「やったー、カツだ」

「なんだ」と言われると、相手はがっかりします。

「なんだ」と言っている本人は、がっかりさせていることに気づきません。

「なんだ」に驚きも喜びも、ないのです。

「やったー」に驚きと、喜びがあるのです。

別れる際に

「じゃあね」

「またね」

043

別れ際に相手は、「次回はあるのかな」と心配しています。
「じゃあね」と言われると、「これっきり」と言われている気がします。
「またね」と言われると、「またがあるんだ」とうれしくなります。
中国語のさようならは、「再見（ツァイチェン）」です。

044

レストランのパンをほめる時

「パンが、おいしい」

「パンの置き方が、やさしいですね」

「パンが、おいしい」は、パンをほめています。
パンを持ってきてくれた人は、パンを焼いた人ではありません。
「置き方が、やさしい」は、持ってきてくれた人をほめています。
目の前の人を、ほめることです。

おいしいものを食べた時

「おいしいです」

「あぶないです」

「おいしいです」は、間違いではありません。
「あぶないです」のほうが、気持ちが入っています。
間違いではない言葉を、気持ちの入っている言葉に
言い換えると、相手をハッピーにできます。

045

046

ドーナツのショーケースで迷っているお客様に

「お決まりですか」

「ゆっくりお選びください」

たくさん種類があると、迷います。

「お決まりですか」と言われると、「まだ？」と言われてるみたいで、焦ってしまって、迷う楽しみがなくなります。

お店の人だけでなく、同行者が迷っていても、焦らせないことです。

緊張している人に

「緊張なさらないでください」

「いっぱい緊張してください」

047

「緊張してはいけない」と思うと、
ますます緊張してしまいます。
「緊張してください」と言われると、
安心して緊張できるので、リラックスできるようになります。

とんかつ屋さんでキャベツのおかわりを注文された時

048

「承知しました」

「うれしい」

いいとんかつ屋さんは、キャベツのおかわりを頼みやすいお店です。

「おかわりどうぞ」と言われても、「キャベツも、高いんだけどな」

と思われてないかハラハラしてしまいます。

「おかわりが喜んでもらえる」と思うと、安心しておかわりできます。

049

よく言われることを言われた時

△「よく言われます」

○「初めて言われました」

ほめる時は、初めてでありたい。

「よく言われます」と言われると、「みんなに、言われていることを重ねて、言ってしまった」とがっかりしてしまいます。

次から、もうほめるのが、怖くなってしまいます。

050

仕事終わりに「お疲れ様でした」と言われた時

「お疲れ様」

「うん、疲れたね」

俳優・市村《いちむら》正親《まさちか》さんの、ミュージカルの本番直後の言葉。
「うん、疲れたね」という言葉に、市村さんの一緒に疲れた仲間への一体感や優しさを感じます。
一体感のある言葉が、優しい言葉です。

ほめられた時

051

「そんなことないです」

「もっと、ほめて」

これも、市村さんの言葉です。
ほめられると、「そんなことないです」と返しがちです。
せっかくほめたのに、そう返されるのは、
プレゼントを返されるようなものです。
ありがたくいただくのが、
言葉のプレゼントをいただいた側の優しさです。

052

「美人ですね」と言われた時

「そんなことないです」

「いい人ですね」

これは、僕の母親の言葉です。
「いい人ですね」は、相手をほめ返しています。
「正直者ですね」も、相手をほめ返しています。
ほめられたら、クロスカウンターで、ほめ返すことです。

053

食材の野菜の説明をする時

「これは山形産です」

「これは山形の斎藤さんが育てました」

産地は、個人をほめていません。
地域より、個人をほめることです。
「巨人は嫌いだけど、長嶋さんは好き」が、
言葉選びの本質です。

054

誘った相手が、先約があった時

△「では、仕方がないですね」

○「また、お誘いしますね」

断る人は、「断ったから、もう誘ってもらえないんではないか」と、内心ハラハラしています。

そんな時、「またお誘いします」のひと言で、胸をなでおろします。

相手の不安を取り除く言葉を選ぶことです。

送っていく時

055

「お送りします」

「途中まで、お送りします」

「お送りします」と言われると、重荷になります。
初デートでは、「家を知られる怖さ」もあります。
「途中まで」だと、安心できます。
安心できると、「家まででもいいか」となります。

056

誘いを、多忙で断られた時

「お忙しくて、なによりです」

「仕事は、優先してください」

「お忙しくて、なによりです」は、嫌味にも聞こえる可能性があります。
嫌味に聞こえる可能性のある言葉を、避けることです。
そのためには、自分が嫌味に敏感になることです。
言葉選びが雑になるのは、鈍感になっているからなのです。

057

「座られますか」

「座ってください」

「座られますか」と聞かれると、「大丈夫です」と断られます。
「座ってください」と立たれると、「あら、優しい」と座れます。
相手が、親切を受け入れやすい言葉を選ぶことです。
言葉を言い換えるとは、相手の立場に立てるということです。

相手の健康を気づかう時

「ご自愛ください」

「お体、おいといください」

「おいといください」は、敬語です。
子どもが大人になるということは、敬語を使いこなせるようになることです。
「いとう」は、大切にするという意味です。
敬語を使うことで、敬語を使う人と出会い、ますます敬語の言い換えが増えるのです。

058

059

誘われて、断る時

「ムリそうです」＜「難しそうです」

「ムリ」と言ってしまうと、可能性0％になってしまいます。
全否定を、部分否定に変えることで、相手に衝撃を与えずにすみます。
「難しそう」は、可能性1％です。
「そう」ということで、自分の意思ではない匂いが相手に伝わります。

レストランのお品書きをもらって帰る時

060

「いただいていいですか」

「記念に、いただいていいですか」

同じもらう場合、動機が大事です。
ただもらうのではなく、「記念に」と言うことで、
喜んでもらえたと相手には、伝わります。
置いて帰られるより、「記念に」持ち帰ってもらうほうが、
うれしいです。
同行者も、うれしいです。

061

意見が違う相手から、意見を求められた時

△「それは、どうかな」

○「難しいよね」

言い換えは、言い方も大事です。

これは、井ノ原快彦さんのトーンで言うといいです。

「どっちが正解」という時に、「どっちもまちがってはいない」

というトーンを残すことです。

062

列に横入りされた時

「もしもし」＜「あっ」

「もしもし」と言うと、注意することになります。
職務質問用語になります。
「あっ」と言うと、驚いた味方の言葉になります。
言われた側も、「もしもし」だと、「すみません」になるけど、
「あっ」と言われると、「あっ、すみません」と笑顔で返せます。

紹介してもらったお礼を言う時

063

「ご紹介、ありがとうございました」

「ご縁をありがとうございました」

「ご紹介」では、ビジネスライクで、冷たい感じがします。
「ご縁」のほうが、より深い愛情を感じます。
ありがたみも、伝わります。
利害関係より、ご縁関係の言葉がいいですね。

相手に不手際があった時

「こっちにも、都合がありますからね」

「相手にも、都合がありますからね」

都合は、自分にあるように、相手にもあります。
主語を、自分ではなく、相手にすると、感じが良くなります。
「こちらの事情をお察しください」より、
「お客様の事情もお察しします」のほうが、感じがいいのです。

065

「台風でネタが少ないんです」と言われた時

「なんだ」

「さすが」

台風の時でも、ネタが揃っているほうが、むしろ心配です。
これは、視野の広さです。
「仕事がたてこんでいるので」と断られた時、
「さすが、プロ」と評価の言葉で返すのです。

スナックで一杯目のビールを頼む時

066

「とりあえず、ビール」

「ママさんの入れてくれるビール」

ふだん何気なく言っている「とりあえず、ビール」は、
よく考えると、冷たい言葉です。
お店にも悪いし、ビールにも悪い。
「とりあえず、君」と言われてるみたいです。
決まり文句には、言い換えるチャンスがあります。

「お寿司のネタは何が好きですか」と聞かれて

「中トロです」

「カンピョウ巻きです」

「中トロ」と言うと、相手は「高くつきそうだな」とビビってしまいます。

「カンピョウ巻き」と言うことで、安心してもらえます。

「中トロ」と言うと、ただの高いもの好きという印象を与えます。

「カンピョウ巻き」と言うと、通のお寿司好き感が、伝わります。

067

068

連れて行ってもらったお店が、空いてた時

「空いてて、良かったですね」

「静かで、良かったですね」

「空いてる」は、けなし言葉になります。
連れてきてくれた人にも、悪いです。
お店の人にも、悪いです。
「静か」は、ポジティブ言葉です。
ネガティブ言葉を、ポジティブ言葉に、言い換えましょう。

069

連れて行ったお店が空いてた時

「いつもは、もっと混んでるんですよ」

「珍しい静かな日に、さすが○○さん」

相手の運が強いことを前提に、言い換えることです。
同行者がおみくじで凶を引いたら、「めったに出ないのを引くとは、さすが持ってる」とほめるチャンスです。
マイナスの状況ほど、「さすが」で始めることです。

070

連れて行ってもらったお店が混んでた時

「混んでますね」

「賑わってますね」

「混んでる」と「賑わってる」は、同じ状況です。
ネガティブ言葉を、ポジティブ言葉に変えるだけで、
相手も、自分も、お店の人も、まわりの知らないお客さんも、
みんなハッピーになっていきます。

071

お店がうるさかった時

「うるさいお客さんがいますね」

「盛り上がってますね」

「うるさい」のは、楽しいからです。
マイナスの状況を、面白がれることです。
同じ状況を、違う言葉で言い換えられることが、
その人のメンタル力です。
言葉の数が増えると、メンタル力が強くなります。

初めての人を連れて行った時

072

「少しずつ、いろいろ」

「初めて来られたので、少しずつ、いろいろ」

「少しずつ」だけ言うと、ただのケチになってしまいます。
初めて来た人は、お試しをいろいろしてみたいのです。
同行者が初めて来たということは、
「お客様を連れて来てもらえた」と
お店の人も、ハッピーになります。

073

相手が化粧室に行かなくていいか確認する時

「化粧室、大丈夫ですか」

「化粧室、行っていいですか」

「化粧室に行く」というのは、女性だけでなく、男性でも、恥ずかしいものです。

「大丈夫ですか」と言われると、「大丈夫です」としか返事できません。

「行っていいですか」と言ってもらえると、「では、私も」と言えます。

074

診察で「おしっこのキレはどうですか」と聞く時

「大丈夫ですか」

「僕なんか、ビチョビチョですよ」

相手に、恥ずかしい言葉を言いやすいようにすることが大切です。
そのためには、自己開示することです。
自分がカッコつけていると、相手は本音で会話ができません。
自己開示することで、本音で会話ができるようになります。

女性にデザートを勧める時

075

「デザートメニュー、ご覧になりますか」

「デザートメニュー、見るだけ見ましょう」

「見る」と「見るだけ」は、違います。
最初は、「見るだけ」だったけど、
「見たら、おいしそう」と変わるチャンスを残せるのです。
相手の変更を許せることが、促す言葉になります。

076

ビュッフェで、女性がもう一度見て来ようか迷っている時

「食べるなら、早く見ておいで」

「見るだけ、見ておいで」

常に、相手は、遠慮しています。
「大丈夫です」と言っても、遠慮して言っています。
言い換えは、遠慮のブロックを、外してあげることです。
相手に、遠慮しない口実を作る言葉にしてあげるのが、
優しさです。

077

小さい食材が入っていた時

「小さい」＜「アクセントが効いている」

「小さい」は、悪意のある言葉です。
同じ小ささでも、「アクセントが効いている」は、ほめ言葉です。
「意外に、小さい」これは、第一印象です。
「でも、そのおかげで」と、第二印象に切り替えることができるのが、大人です。

普通より高めの値段がついている時

078

「高い」

「値打ちがありますからね」

「意外に高い」は、第一印象です。

幼児性の高い人は、第一印象だけで終わります。

「高い」と言うのは、そのモノの価値を認めていないと相手に言っていることになります。

価格ではなく、価値の言葉に、言い換えることです。

079

△「タクシーが、参りました」

○「お供が、参りました」

料亭や老舗では、タクシーのことを「お供」と言います。

「お供」という言葉を知らないと、「誰か、来たんですか」と変なやり取りになってしまいます。

「ふだん、きちんとした所に出入りしていないんだな」と思われてしまいます。

080

同行を誘われた時

「ご一緒します」

「お供させていただきます」

「ご一緒します」でも、間違っていません。
「お供します」と言う人がいて、二人のうち一人を連れて行くとしたら、
「お供します」の人を、連れて行きます。
使う言葉で、上の人に出会えるチャンスをつかむことができるのです。

081

見てもらったかどうかを確認する時

「ご覧になられましたか」

「お目通しいただけましたか」

安い車のセールスマンと、高級車のセールスマンの違いは、
知識ではありません。
言葉づかいが、違うのです。
言葉は、金運とも連動します。
言葉の数の多い人は、生涯年収も高くなります。

082

同意する時

「なるほどですね」

「おっしゃる通りです」

「なるほどですね」は、普通の言い方です。
友達同士ならそれでも、大丈夫です。
目上の人に、友達言葉を使ったら、次回はありません。
目上の人は、目下の人にも、敬語で接しています。

アドバイスをもらった時

083

「勉強になります」

「すぐ試したいです」

アドバイスした人が一番うれしいのは、試してもらえることです。
「勉強になります」は、まだ「試すほどでもない」という印象を相手に与えてしまいます。
すぐ試す人が、次のアドバイスをもらって、
どんどん成長していきます。

084

道を聞かれて、誘導する時

「一緒に、参りましょう」

「ご案内、いたしましょう」

話す時は、常に相手が、か弱き女性であることを念頭に置くことです。
「意味はわかるだろう」では、チャンスを失います。
「知ってるけど、使ってないだけ」では、チャンスを失います。
使わなければ、知らないのと同じなのです。

カバンを渡す時

085

「お願いします」

「重いですよ」

何かをしてもらう時、してもらう人に、心配りをすることです。
心配りとは、言葉を添えることです。
言葉を省略すると、心配りを省略することになります。
たとえ重くなくても、「重いですよ」と言葉を添えることで、
優しさが伝わります。

次回の来店を促す時

086

「また、いらしてください」

「来週土曜日から、メニューが変わります」

「また、いらしてください」は、こちら側の都合です。
「来週土曜日から、メニューが変わります」は、
相手側のメリットになる情報です。
決まり文句ではなく、相手に必要な情報を提供することが、
相手の立場に立つということです。

087

新幹線で知らない人の隣に座る時

「こんにちは」

「お隣、失礼します」

声をかけると言うと、言葉の数が少ない人は、
「こんにちは」と声をかけます。
知らない人からのいきなりの「こんにちは」は、相手を怖がらせます。
「こんにちは」で逃げずに、「こんにちは」を言い換える言葉を
身につけることです。

088

改札で前の人が落とし物をした時

△「もしもし」

○「落ちましたよ」

落とし物をした人は、気づいていません。
「もしもし」では、自分に話しかけられているのか、わかりません。
聞こえていても、無視したくなります。
「落としましたよ」で、「おや、自分かな」と振り返ることができるのです。

080

危ない話を聞かされた時

「危ないね」

「こわいね」

「危ないね」は、客観です。
「こわいね」は、共感です。
客観の言葉は、冷たい言葉に聞こえます。
客観の言葉を、共感の言葉に、言い換える人が愛されます。

相手の趣味の話を聞く時

090

△「始めたキッカケは、なんですか」

◯「難しいところは、どこですか」

取材を受ける時、「キッカケ」を聞かれると、
「またか」と切なくなります。
毎回、同じ話になるからです。
「難しいところは」と聞かれると、さっき聞かれた質問でも、
話が進化していきます。
昔の話より、今の話を聞く言葉に言い換えることです。

061

お店で「何か、お探しですか」と聞かれた時

「見るだけです」

「目に焼き付けておきます」

買う人は、2度目に来た時に買うことを、お店の人は知っています。

「目に焼き付けておく」ことで、次回、買うことにつながります。

「見るだけ」の人は、興味本位で、購入につながりません。

「今日は、買わないけど、次回、買います」

という印象を持ってもらうことです。

092

スマホに知り合いからかかって来た時

「もしもし」

「あっ、○○さん、こんにちは。中谷です」

スマホでは、相手の名前が出ます。
「もしもし」は、発信者の名前が出なかった固定電話時代の電話の出方です。
かけてきた人に、即、安心してもらうために、相手の名前とこちらの名前を言うことです。

093

大事な内緒の話をする時

「誰にも言わないでくださいね」

「○○さんだから、話しますね」

「誰にも言わないでね」と言う人は、「みんなに話してるな」と相手には、伝わります。

その結果、広がってしまいます。

相手のせいではなく、自分の言い方のせいだったのです。

094

「あなたのためだから」

「きつい言い方で、ごめんね。言い過ぎました」

ときには、厳しいことも言わなければ、なりません。
厳しいことを言わないのではなく、
クッションを入れることが大切です。
ただ厳しいだけでは、相手は拒絶します。
「言い過ぎました」ということで、相手は納得できるのです。

095

「マナーが素晴らしい」<「所作が素晴らしい」

「マナー」は、教えられたマニュアルです。
「所作」は、自分で練習して、身につけたことです。
マニュアルをほめられても、うれしくありません。
自分が練習したことを、ほめられると、うれしいです。

096

「ミスしてました」の連絡を受けた時

△「なんで、気づかなかったの」

○「よく、気づいたね」

「ミスしてました」ということは、気づいたということです。
ミスしたエラーより、気づいたファインプレーのほうが大きいのです。
ミスは、なかなか気づくのは難しいことです。
ミスは、誰も悪くありません。
気づいたということを、評価すべきなのです。
気づくことで、対応することができます。

097

来ていただいた時

△「ようこそ、お越しいただきました」

○「ようこそ、お運びいただきました」

「お越し」でも、丁寧です。

「お運び」は、もっと丁寧です。

「松の言葉」の上には、「上の言葉」があります。

「上の言葉」の上には、「特上の言葉」があります。

「松の言葉」に安心しないことです。

098

いただいたものを「使っていますか」と聞かれた時

△「使っています」

○「愛用しています」

「使っています」より、「愛用しています」のほうが、愛情があります。

「犬」よりも「愛犬」。「車」よりも「愛車」。

「愛用」のほうが、肌身離さず、持っている感じがします。

プレゼントした側は、うれしいです。

099

髪型を変えて後日、美容師さんに「いかがですか」と聞かれた時

「いい感じです」

「みんなにほめられました」

美容師さんとしては、まわりの人の反応も、知りたいです。
ただお客さんが満足だけでなく、
まわりの人も喜んでもらえたと思うと安心です。
「前のほうが、良かった」とまわりの人に言われるのが、心配なのです。

100

ごちそうになったお礼メールをする時

「おいしかったです」

「楽しかったです」

「おいしかった」は、料理だけの話になります。
「楽しかった」は、味も含めて、サービス全般の話になります。
「おいしかった」は、お店の手柄になります。
「楽しかった」は、連れて行ってくれた人への感謝になります。

101

誘ってもらった時

「時間が合えば」

「行きたい」

「時間が合えば」は、「ヒマなら」と言っている印象を相手に与えます。
「時間がなくても、行きたい」と言われるほうが、うれしいです。
大事なのは、「時間があるかないか」より、
「行く気持ちがあるかないか」です。

102

初めてのお店で相手がオーダーした時

「同じの」

「では、違うのを」

「同じの」と言うのは、上司部下の発想です。

初めてのお店では、できるだけいろいろなメニューを試してみたい。

デートでなら、なおさらです。

分けなくても、「どんなのか見てみたい」というのが相手の気持ちです。

103

デートで「大盛りもできますが」と言われた時

「では、大盛で」

「ちなみに、ハーフサイズはできますか」

「大盛りで」は、自分中心の発想です。

「分けてあげるために、大盛りにした」と考えるなら、ハーフサイズで、料理の種類を増やすほうが喜ばれます。

言い換えは、発想の切り替えなのです。

104

「お写真、撮りましょうか」と言われた時

△「お願いします」

○「このお店の記念に」

写真を撮る側は、自分の愛するお店や場所を撮ってもらうのが、うれしい。

「このお店の記念に」と言ってもらえると、同じＳＮＳに上げるにしても、喜ばれます。

自分のフォロワー数を増やすためではなく、お店の思い出のためであることです。

105

「お写真、撮りましょうか」と言われた時

「お願いします」

「一緒に、入ってください」

写真を撮る人の写真は、こんなに全員が撮る時代になっても、
相変わらず、少ない。
「一緒に撮りましょう。入ってください」と言われると、
撮る側にとって、こんなうれしいことはありません。
お店の人を、一人の人と感じているかどうかの分かれ目です。

106

せっかくの日に雨になった時

「せっかくなのに雨ですね」

「雨の日にした仕事は、うまくいくそうですね」

言葉一つで、状況を、不運にも、幸運にも感じることができます。
不運な状況でも、幸運に変えることが大事です。
雨でも、晴れでも、曇でも、「むしろ、よかった」と、
プラスにすることができます。

107

「いい靴ですね」とほめられた時

「高くないんです」

「靴、お詳しいですね」

「高くないんです」は、謙遜しながら、モノの話に終わっています。

ほめてくれた人は、靴に関心のある人です。

自分の関心のないものは、目に止まりません。

「いい靴」よりも、「いい靴を見逃さなかった相手」をほめることができます。

108

「いいカバンですね」とほめられた時

△「気に入ってるんです」

○「あら、○○さんのカバンも珍しいですね」

せっかく振ってもらったら、お返しをするチャンスです。
相手がほめるアイテムは、その人がこだわりのあるアイテムです。
相手の人が話したいのは、あなたのカバンではなく、
自分のカバンです。
言葉のパス回しをすることです。

教える時

109

「全部大事」＜「ここだけ外さなければ、いいよ」

教えてもらう人は、ワンポイントに絞ってもらえると、安心します。
まずは、相手に安心してもらうことです。
全部大事なのは、たしかにそうです。
でも、まず安心してもらうことで、2つ以上も、
意識することができるようになります。

110

珍しい名字の人に

「珍しい名字ですね」

「もう忘れられません」

珍しい名字の人は、本人の中では、悩みであることも多いです。
ただ「珍しいですね」では、「またか」で終わります。
「珍しい名前で良かった」と思ってもらえることが大事です。
名前を間違えた時も、「失礼しました」を「これで、覚えました」で、
気まずさを乗り越えられます。

初めてのお店の会食で、相手がオーダーをした時

「私は……」

「あっ、取られた。では……」

初めてのお店で、相手が違うものを頼んだ時、
「あっ、失敗したかな」とクヨクヨしてしまうのが、人間です。
小さなクヨクヨに気づいてあげることで、
言葉を言い換えることができるのです。

112

自分の紹介したお店で、相手がオーダーをした時

「なるほど」

「いいセレクトですね」

高校の先輩の籔内《やぶうち》佐斗司《さとし》先生に、東京藝大の食堂で
ご馳走してもらった時、僕の選んだメニューに、
籔内先生は、こう言いました。
それだけで、ハッピーになりました。

「お味はいかがですか」と聞かれた時

113

「そうですね。おいしいです」

「おいしいです」

感想を求められた時、前置きを挟まないことです。

「そうですね」と言った瞬間、相手は「イマイチだったんだな」と感じます。

良いところがイマイチ見つからない時に、時間稼ぎとして使う言葉が、「そうですね」なのです。

114

若々しい人に

「お若いですね」

「スポーツは、何をなさってるんですか」

「若いですね」は、若いと感じていないから使う言葉です。
若い人に、「若いですね」とは言いません。
「若いですね」に返す言葉も、ありません。
返しにくい言い方を、返しやすい言い方に、言い換えることです。
スポーツの話を聞くことで、スポーツの話題を相手はすることができます。

115

前日に明日の予定を確認する時

「明日、よろしくお願いします」

「明日、13時、楽しみにしています」

だいぶ前に約束していたことは、忘れている可能性があります。
リマインドしてもらえるのは、助かります。
その場合、「明日」より「明日、13時」のほうが、記憶違いを防げます。
「よろしく」より「楽しみに」のほうが、ワクワク感が伝わります。

話を聞いている時

116

「なるほど」

「さっきの話とつながりますね」

話している相手が、自分の話についてきてくれているかどうかを、話している側は、つねに不安を感じています。

「さっきの話とつながりますね」と言うことで、さっきの話を覚えていてくれて、全体像をつかんでもらっていると、安心することができます。

初対面の人に話しかける時

117

△「いつもインスタを拝見しています」

○「今朝のインスタ、大笑いしました」

「いつも見ています」だと、社交辞令に取られてしまいます。
社交辞令は、「ほんとかなあ」と信じてもらえません。
「今朝のインスタ」と言われると、「もう、見てくれたの」と
その1回であったとしても、「あれは、実はね」と
話をつなげることができるのです。

118

化粧室に行く時

△「化粧室に、行ってきます」

○「手を洗ってきます」

食事をしている時は、化粧室を思い出させるのは、失礼にあたります。

「手を洗ってきます」だと、きれい好きな人だなと、

おトイレ感を消すことができます。

レストランでなくても、言葉で清潔感が、分かれます。

化粧室を勧める時

119

「化粧室、大丈夫ですか」

「化粧室、おしゃれですよ」

恥ずかしいことの口実を作るのが、優しい言葉です。

用をたすためではなく、おしゃれな化粧室を見るためという口実を作ることで、相手は行きやすくなります。

言葉の選び方で、雑な人か、デリカシーのある人かが分かれます。

120

「〇〇さんはお元気ですか」と聞かれて元気な時

「元気です」

「伝えます」

この場にいない人が、自分の話をしていることを伝え聞くのは、うれしいことです。

第三者に、自分の話を伝えてもらうのも、うれしいことです。

ただのイエス・ノーの質問を、うれしいやりとりに言い換えることができます。

121

「○○さんはお元気ですか」と聞かれて元気でない時

「入院しているんです」

「ありがとうございます」

知り合いの病気の話をするのが好きな人は、愛されません。
知っていても、知らないふりをするのが、優しさです。
「ありがとうございます」と言われたら、察することも大事です。
言葉を言い換えることができる人は、察することができる人です。

122

自分の後ろに並んでいる人がいた時

「どうぞ」＜「おまたせしました」

お店の人でもないのに「おまたせしました」は、要らないだろうと考えがちです。

実際に、僕自身が、この言葉をかけられた時、「ああ、いい人だな」と感じて「せかせました」と返していました。

いい言葉は、まわりの人を、いい人にします。

123

「また、来ます」

「また、○○さんから、買います」

「また、来ます」は、お店を気に入ったということです。
「また、○○さんから、買います」は、
その人を気に入ったということです。
「そのお店なら、誰でもいい」では、相手はうれしくありません。
担当制でないお店でこそ有効な、言い換えです。

124

「さっき、コンビニで焼き芋を見つけました」と言われた時

「最近、流行ってますね」

「食べたい」

「最近、流行ってますね」と言うと、「えっ、今頃。遅れてますよ。そんなことも、知らなかったんですか」という意味になります。

ひょっとしたら、買ってきてくれたかもしれないのに、出せなくなってしまいます。

「食べたい」は、想像力のある言葉なのです。

125

「さっき、コンビニで焼き芋を見つけました」と言われた時

「この間、食べました」

「食べたくなってきました」

「この間、食べました」で、せっかく買ってきてくれたとしたら、価値が一気になくなります。

残念な人は、知識の会話をします。

知識の会話を、想像の会話に言い換えることが大事です。

126

誤解して恨まれていたことの無実が晴れた時

「だから、言ったでしょ」

「つらい思いをさせて、ごめんなさい」

これは、韓流ドラマに出てくる主人公の男性のセリフです。
韓流ドラマにはまるのは、主人公が、
常に相手の気持ちになってくれるからです。
「だから、言ったでしょ」は、自分中心のうっぷんばらしのセリフです。
うっぷんばらしをしたい時が、言い換えのチャンスです。

127

小言を言われた時

「今、やろうと思ってた」

「心配してくれて、ありがとう」

たしかに、小言を言われたら、「今、やろうと思ってた」という気持ちになります。

その時がチャンスです。

説教と受け取らず、アドバイスしてくれた気持ちに感謝することです。

感謝の気持ちが、言葉の言い換えになります。

128

食事のセレクトで、イマイチの提案をされた時

「あそこかあ」

「いいね。それもいいけど」

「あそこかあ」と言われると、提案したくなくなります。
あそこがダメなのではなくて、
「あそこもいいけど、こっちはもっといいんじゃない」という
ロジックにすると、感じが悪くありません。
自分の提案が、却下されたわけではないと安心します。

129

相手の苦手なものをプレゼントしてしまった時

「知らなくて、ごめん」

「気をつかわせて、ごめん」

「知らなくて」は、自分の言いわけです。
「気をつかわせて」は、相手の気持ちを、思っています。
「これ、実は、苦手なんです」と言い出すのは、
なかなか気をもんでしまうからです。
相手の心苦しさに気づいてあげると、言い方が変わります。

130

通路で、すれ違う時

「すいません」<「こんにちは」

「すいません」と言う時、顔は、申し訳なさそうな表情になります。
「こんにちは」と言う時、笑顔になります。

新幹線で、外国人のマダムが、すれ違う時、
「ハロー」とすれ違ったのが、かっこよかったです。

かっこいい外国人の気分で、言い換えるのも、コツです。

仕切りがいい人に

「要領がいいね」

「ダンドリがいいね」

「要領がいい」では、「こずるいね」と言われている感じがします。
「ダンドリがいいね」だと、仕事ができそうな感じがします。
五感に敏感になることです。
似た言葉の微差に気づくことが、言い換えのポイントです。

131

132

相手の話を聞く時

△「話が、戻るんですけど」

○「それで、それで」

話している人がテンションが下がるのが、
話のコシを折られることです。
「戻るんですけど」と戻されると、話のコシが折られます。
説明を省いているところは、あえて省いているところなのです。
「それで、それで」と言われると、どんどん乗っていけます。

133

ご飯がおいしかった時

「このお米は、どこ産ですか」

「水分具合が、好みです」

飲食店で、ご飯がおいしい時、お米の銘柄をほめても、
そのお店をほめていることにはなりません。
炊き方をほめることで、
そのお店の努力・工夫をほめることになります。
知識の質問ではなく、感じたことに言い換えるのです。

134

仕事関係で食事に行って「ご関係は」と聞かれた時

△ **「仕事関係です」**

○ **「家族です」**

中谷塾の遠足で、タクシーに乗った時、運転手さんに「5秒に一回、爆笑ですね。どういうご関係ですか」と聞かれました。

塾生が、すかさず「家族です」と答えました。

僕は、塾生を生徒ではなく、家族と感じて接しています。

135

相手の意見に自分の意見を加える時

「もっと言うと」＜「ひょっとしたら」

会議で、誰かの意見に「もっと言うと」と言うと、
相手の意見を否定して、奪ってしまうことになります。
「ひょっとしたら」と言うと、「今の話で気づいたんだけど」と、
相手の意見から、インスパイアされたことになります。

部下を指導する時

136

「あなた達は」＜「私達は」

「あなた達は」と言うと、「自分はできてるけど」という
ニュアンスになります。
「私達は」で、一体感が出ます。
「自分もできていないんだけど」と謙遜できます。
そうすることで、聞き手も素直に聞くことができます。

137

すでに知っていることを教えられた時

「よく言いますよね」

「勉強になります」

「よく言いますよね」と言うと、
「そんなことは、とっくに知っている」と弾くことになります。
「よく言いますよね」は、「知らない人だと思われたらどうしよう」
という不安から来ています。
「勉強になります」で、知っていることでも、
受け入れることができます。

キャンセルになった時

138

「残念です」

「ご検討、ありがとうございます」

キャンセルになった時、ショックを感じます。
まとまりそうな話ほど、最初から断られるより、ショックを感じます。
キャンセルをする側も、言いにくさを感じています。
そんな時が、言い換えのチャンスです。
「ご検討、ありがとうございます」と言われると、
また次回お願いしようと思います。

同僚が上司に注意された時

「常識ですよ」

「あっ、そうか」

同僚が上司に説教されている時、「常識ですよ」と言うことで、「自分は知っていたよ」とアピールしようとしています。

でも実際は、説教している相手ではなく、「あなただよ」と心の中で思われています。

伸びる人は、他者が叱られている時、「自分だな」と感じることができる人です。

139

140

部下が仕事でトラブっている時

△「大丈夫？」

〇「あなたは、大丈夫？」

「大丈夫？」と言うと、会社に損害は出ていないかという
意味になります。
「あなたは、大丈夫？」と言うと、
「その人の気持ちが大丈夫か」という思いやりになります。
お皿を割った時、お皿か割った人か、
どちらを気づかうかと同じです。

141

「こうしたら？」

「一緒に、考えよう」

会話の苦手な人は、共感が苦手です。
勝ち負けにこだわるので、共感できなくなります。
常に教える側に回って、勝とうとしてしまいます。
「こうしたら？」で、「あなたは、もういいです」となってしまいます。
「一緒に、考えよう」と言うことで、共感してもらえるのです。

142

料理が先に来た人に勧める時

△「冷めないうちに、どうぞ」

○「温かいうちに、どうぞ」

披露宴では、忌み言葉があります。
マイナス言葉を使わないのは、披露宴だけではありません。
「冷めないうちに、どうぞ」は、
「すぐ冷めるよ。冷めたら、おいしくないよ」になります。
「温かいうちに」は、「温かくて、おいしいよ」という意味になります。

143

「お寺でバイオリンの演奏があったんですよ」と言われた時

△「なんていうお寺ですか」

〇「連れてって」

「なんていうお寺ですか」は、知識の質問です。
知識は、一体感がありません。
「連れてって」は、一体感の言葉です。
こうして、連れてってもらえない人ともらえる人に分かれていきます。

144

頑張らせたい人に

「頑張ってるね」<「一緒に、頑張ろう」

「頑張れ」より、「頑張ってるね」のほうがいい。
それで、満足しないことです。
「頑張ってるね」は、上から目線です。
「一緒に、頑張ろう」で、水平目線になれます。
上から目線の言葉を、水平目線の言葉に言い換えるのです。

「レシピを教えてください」

「大事なことは、なんですか」

答えるのに時間がかかる質問は、嫌がられます。

会話が弾むとは、短いやり取りが、ポンポンなされることです。

レシピだと、長くなるけど、大事なことだと、ひと言で終わります。

相手の答えやすいように言い換えることです。

145

女性をデートに誘う時

146

「飲みに行こう」

「おしゃれなお店ができたね」

「飲みに行こう」と言われると、引いてしまいます。

「おしゃれなお店ができたね」だと、「行ってみたい」になります。

こちらから、引っぱるのではなく、あくまで相手をリードするのです。

自分から出たアイデアが、一番楽しいアイデアなのです。

147

「おいしかったです」とお客様に言われた時

「ありがとうございます」

「さっそく、シェフに伝えます」

自分の言葉が、回っていくのは、うれしいことです。
目の前の人が喜ぶだけでなく、シェフも喜んでくれます。
ひと言で、二人が喜んでくれるのです。
「シェフに、伝えてください」と言われない時に、さらに喜ばれます。

148

相手が新しい服で来たら

「その服、いいね」

「いいのを、買ったね」

「その服、いいね」だと、その服を作ったデザイナーさんの手柄です。
「いいのを、買ったね」だと、見つけた相手の手柄です。
目の前の人を、ほめてあげましょう。
まず、遠くの人より、目の前の人一人を、
言葉の力でハッピーにしましょう。

一緒に食事をする時

149

「好きなものは、なんですか」

「苦手なものは、なんですか」

好きなものより、苦手なものを覚えておいてもらうのが、助かります。

どんなに好きなものがあっても、苦手なものがひとつでもあると、テンションが下がります。

一度聞いた苦手なものは、覚えていて、

「○○をはずしてあげてください」と言えることです。

150

雨の日の宅配便屋さんが「濡れてすいません」と言った時

「大丈夫です」

「雨の中、ありがとうございます」

「大丈夫です」は、自分の荷物の心配をしています。

「この荷物が、濡れてきたということは、宅配便屋さんが雨の中を運んできてくれたんだな」と思いやれることです。

目の前のことより、それまでの経緯を考えることで、言葉を言い換えることができます。

教わる時

151

「コツは、なんですか」

「基本は、なんですか」

「コツ」を聞く人は、テクニックを聞こうとしています。
楽をする姿勢は、相手に失礼な言い方です。
「基本」を聞く人は、相手にリスペクトがあります。
相手がしてきた基本を、学ぼうとしています。

言い換えることで、まわりがハッピーになる。

言い換えると、
相手がハッピーになります。
言い換えると、
自分がハッピーになります。
言い換えると、
まわりにいるみんながハッピーになります。

中谷彰宏の主な著作一覧

【ダイヤモンド社】

『60代でしなければならない50のこと』
『面接の達人 バイブル版』
『なぜあの人は感情的にならないのか』
『50代でしなければならない55のこと』
『なぜあの人の話は楽しいのか』
『なぜあの人はすぐやるのか』
『なぜあの人は逆境に強いのか』
『なぜあの人の話に納得してしまうのか［新版］』
『なぜあの人は勉強が続くのか』
『なぜあの人は仕事ができるのか』
『25歳までにしなければならない59のこと』
『なぜあの人は整理がうまいのか』
『なぜあの人はいつもやる気があるのか』
『なぜあのリーダーに人はついていくのか』
『大人のマナー』
『プラス1％の企画力』
『なぜあの人は人前で話すのがうまいのか』
『あなたが「あなた」を超えるとき』
『中谷彰宏金言集』
『こんな上司に叱られたい。』
『フォローの達人』
『「キレない力」を作る50の方法』
『女性に尊敬されるリーダーが、成功する。』
『30代で出会わなければならない50人』
『20代で出会わなければならない50人』
『就活時代しなければならない50のこと』
『あせらず、止まらず、退かず。』
『お客様を育てるサービス』
『あの人の下なら、「やる気」が出る。』
『なくてはならない人になる』
『人のために何ができるか』
『キャパのある人が、成功する。』
『時間をプレゼントする人が、成功する。』
『明日がワクワクする50の方法』
『ターニングポイントに立つ君に』
『空気を読める人が、成功する。』
『整理力を高める50の方法』
『迷いを断ち切る50の方法』
『なぜあの人は10歳若く見えるのか』
『初対面で好かれる60の話し方』
『成功体質になる50の方法』
『運が開ける接客術』
『運のいい人に好かれる50の方法』
『本番力を高める57の方法』
『運が開ける勉強法』
『バランス力のある人が、成功する。』
『ラスト3分に強くなる50の方法』
『逆転力を高める50の方法』
『最初の3年その他大勢から抜け出す50の方法』
『ドタン場に強くなる50の方法』
『アイデアが止まらなくなる50の方法』
『思い出した夢は、実現する。』
『メンタル力で逆転する50の方法』
『自分力を高めるヒント』
『なぜあの人はストレスに強いのか』
『面白くなければカッコよくない』
『たった一言で生まれ変わる』
『スピード自己実現』
『スピード開運術』
『スピード問題解決』
『スピード危機管理』
『一流の勉強術』
『スピード意識改革』
『お客様のファンになろう』
『20代自分らしく生きる45の方法』
『なぜあの人は問題解決がうまいのか』
『しびれるサービス』
『大人のスピード説得術』
『お客様に学ぶサービス勉強法』
『スピード人脈術』
『スピードサービス』
『スピード成功の方程式』
『スピードリーダーシップ』
『出会いにひとつのムダもない』
『なぜあの人は気がきくのか』
『お客様にしなければならない50のこと』
『大人になる前にしなければならない50のこと』
『なぜあの人はお客さんに好かれるのか』
『会社で教えてくれない50のこと』
『なぜあの人は時間を創り出せるのか』
『なぜあの人は運が強いのか』
『20代でしなければならない50のこと』
『なぜあの人はプレッシャーに強いのか』
『大学時代しなければならない50のこと』
『あなたに起こることはすべて正しい』

【きずな出版】

『チャンスをつかめる人のビジネスマナー』
『生きる誘惑』
『しがみつかない大人になる63の方法』
『「理不尽」が多い人ほど、強くなる。』
『グズグズしない人の61の習慣』
『イライラしない人の63の習慣』
『悩まない人の63の習慣』
『いい女は「涙を背に流し、微笑みを抱く男」とつきあう。』
『ファーストクラスに乗る人の自己投資』
『いい女は「紳士」とつきあう。』
『ファーストクラスに乗る人の発想』
『いい女は「言いなりになりたい男」とつきあう。』
『ファーストクラスに乗る人の人間関係』
『いい女は「変身させてくれる男」とつきあう。』
『ファーストクラスに乗る人の人脈』
『ファーストクラスに乗る人のお金2』
『ファーストクラスに乗る人の仕事』
『ファーストクラスに乗る人の教育』
『ファーストクラスに乗る人の勉強』
『ファーストクラスに乗る人のお金』
『ファーストクラスに乗る人のノート』
『ギリギリセーーフ』

【リベラル社】

『好かれる人の言いかえ』
『好かれる人は話し方が9割』【文庫】
『20代をどう生きるか』
『30代をどう生きるか』【文庫】
『メンタルと体調のリセット術』
『新しい仕事術』
『哲学の話』
『1分で伝える力』
『「また会いたい」と思われる人「二度目はない」と思われる人』
『モチベーションの強化書』
『50代がもっともっと楽しくなる方法』
『40代がもっと楽しくなる方法』
『30代が楽しくなる方法』
『チャンスをつかむ 超会話術』
『自分を変える 超時間術』
『問題解決のコツ』
『リーダーの技術』
『一流の話し方』
『一流のお金の生み出し方』
『一流の思考の作り方』
『一流の時間の使い方』

【PHP研究所】

『自己肯定感が一瞬で上がる63の方法』【文庫】
『定年前に生まれ変わろう』
『メンタルが強くなる60のルーティン』
『中学時代にガンバれる40の言葉』
『中学時代がハッピーになる30のこと』
『もう一度会いたくなる人の聞く力』

『14歳からの人生哲学』
『受験生すぐにできる50のこと』
『高校受験すぐにできる40のこと』
『ほんのささいなことに、恋の幸せがある。』
『高校時代にしておく50のこと』
『お金持ちは、お札の向きがそろっている。』【文庫】
『仕事の極め方』
『中学時代にしておく50のこと』
『たった3分で愛される人になる』【文庫】
『「できる人」のスピード整理術』【図解】
『「できる人」の時間活用ノート』【図解】
『自分で考える人が成功する』【文庫】
『入社3年目までに勝負がつく77の法則』【文庫】

【大和書房】
『いい女は「ひとり時間」で磨かれる』【文庫】
『大人の男の身だしなみ』
『今日から「印象美人」』【文庫】
『いい女のしぐさ』【文庫】
『美人は、片づけから。』【文庫】
『いい女の話し方』【文庫】
『「女を楽しませる」ことが男の最高の仕事。』【文庫】
『男は女で修行する。』【文庫】

【水王舎】
『なぜ美術館に通う人は「気品」があるのか。』
『なぜあの人は「美意識」があるのか。』
『なぜあの人は「教養」があるのか。』
『結果を出す人の話し方』
『「人脈」を「お金」にかえる勉強』
『「学び」を「お金」にかえる勉強』

【あさ出版】
『孤独が人生を豊かにする』
『気まずくならない雑談力』
『「いつまでもクヨクヨしたくない」とき読む本』
『「イライラしてるな」と思ったとき読む本』
『なぜあの人は会話がつづくのか』

【自由国民社】
『期待より、希望を持とう。』
『不安を、ワクワクに変えよう。』
『「そのうち何か一緒に」を、卒業しよう。』
『君がイキイキしていると、僕はうれしい。』

【青春出版社】
『人はマナーでつくられる』
『50代「仕事に困らない人」は見えないところで何をしているのか』

『50代から成功する人の無意識の習慣』
『いくつになっても「求められる人」の小さな習慣』

【すばる舎リンケージ】
『仕事が速い人が無意識にしている工夫』
『好かれる人が無意識にしている文章の書き方』
『好かれる人が無意識にしている言葉の選び方』
『好かれる人が無意識にしている気の使い方』

【日本実業出版社】
『出会いに恵まれる女性がしている63のこと』
『凛とした女性がしている63のこと』
『一流の人が言わない50のこと』
『一流の男 一流の風格』

【かざひの文庫】
『銀座スタイル』
『本に、オトナにしてもらった。』
『そのひと手間を、誰かが見てくれている。』

【河出書房新社】
『一流の人は、教わり方が違う。』【新書】
『成功する人のすごいリアクション』
『成功する人は、教わり方が違う。』

【現代書林】
『チャンスは「ムダなこと」から生まれる。』
『お金の不安がなくなる60の方法』
『なぜあの人には「大人の色気」があるのか』

【ぱる出版】
『品のある稼ぎ方・使い方』
『察する人、間の悪い人。』
『選ばれる人、選ばれない人。』

【DHC】
『会う人みんな神さま』ポストカード
『会う人みんな神さま』書画集
『あと「ひとこと」の英会話』

【第三文明社】
『中谷彰宏の子育てワクワク作戦』
『仕事は、最高に楽しい。』

【ユサブル】
『迷った時、「答え」は歴史の中にある。』
『1秒で刺さる書き方』

【大和出版】
『自己演出力』
『一流の準備力』

【リンデン舎】
『状況は、自分が思うほど悪くない。』
『速いミスは、許される。』

【毎日新聞出版】
『あなたのまわりに「いいこと」が起きる70の言葉』
『なぜあの人は心が折れないのか』

【文芸社】
『全力で、1ミリ進もう。』【文庫】
『贅沢なキスをしよう。』【文庫】

【総合法令出版】
『「気がきくね」と言われる人のシンプルな法則』
『伝説のホストに学ぶ82の成功法則』

【ベースボール・マガジン社】
『「生活のアスリート」になろう。』

【春陽堂書店】
『色気は、50歳から。』

【エムディエヌコーポレーション】
『カッコいい大人になろう』

【彩流社】
『40代「進化するチーム」のリーダーは部下をどう成長させているか』

【学研プラス】
『読む本で、人生が変わる。』

【WAVE出版】
『リアクションを制する者が20代を制する。』

【二見書房】
『「お金持ち」の時間術』【文庫】

【ミライカナイブックス】
『名前を聞く前に、キスをしよう。』

【イースト・プレス】
『なぜかモテる人がしている42のこと』【文庫】

本の感想など、どんなことでも、

あなたからのお手紙をお待ちしています。

僕は、本気で読みます。

中谷彰宏

〒162-0056　東京都新宿区若松町12-1
青春出版社気付　中谷彰宏 行

※食品、現金、切手などの同封は、
ご遠慮ください（編集部）

【中谷彰宏公式サイト】https://an-web.com/

【Instagram】https://www.instagram.com/nakatani_akihiro.official/

中谷彰宏は、盲導犬育成事業に賛同し、この本の印税の
一部を（公財）日本盲導犬協会に寄付しています。

著者紹介

中谷彰宏　1959年、大阪府生まれ。早稲田大学第一文学部演劇科卒業。84年、博報堂入社。ＣＭプランナーとして、テレビ、ラジオＣＭの企画、演出をする。91年、独立し、(株) 中谷彰宏事務所を設立。ビジネス書から恋愛エッセイ、小説まで、多岐にわたるジャンルで、数多くのベストセラー、ロングセラーを送り出す。「中谷塾」を主宰し、全国で講演・ワークショップ活動を行っている。

言《い》い換《か》えで、人生《じんせい》が変《か》わる。

2023年4月20日　第１刷

著　　者　中《なか》谷《たに》彰《あき》宏《ひろ》
発 行 者　小澤源太郎

責任編集　株式会社 プライム涌光
電話　編集部　03(3203)2850

発 行 所　株式会社 青春出版社
東京都新宿区若松町12番１号 〒162-0056
振替番号　00190-7-98602
電話　営業部　03(3207)1916

印　刷　共同印刷　　製　本　フォーネット社

万一、落丁、乱丁がありました節は、お取りかえします。
ISBN978-4-413-23298-2 C0030